모음의 절반은 밤이다

김익경 시집

내 몸의 기관들이 갈기갈기

쓸모없이

누군가,

부고를 내지 말 것

차 례

● 시인의 말

제1부

제2부

제4부

제1부

초면들

이런 질문 해도 될까요

입을 떠난 얼굴들이 일제히 실례를 합니다

어느새 콧등까지 다가섭니다

식도에서 한 발짝도 뗄 수 없습니다

오븐 속에 들어간 날 선 얼굴들이
막다른
말을 걸어옵니다

외면해도 괜찮다고 말하지만,

입술은 이미
보지 못한 첫 장을 넘겨
거품 같은 구면으로 달아오르고 있습니다

거울 앞에서 당신은 나의 옷을 벗고 있습니다

누구나 초면이지만
모르지 않는
실례들이
면면을 단정 짓고 있습니다

우리, 언제 봤었던가요

너무 멀리 와 버렸네요

지갑의 길이

앉은뱅이 구름이 있습니다 언제부터인지는 읽혀지지 않습니다

사물들은 사람을 보지 않습니다 나는 시계를 버리고 일회용 마네킹을 구입합니다

약혼을 하다말고 문상을 갑니다 서약은 완성되지 못하는 목적지에 정박 중입니다

선물은 의미가 닿기 전 말을 잃습니다 나는 땅 끝에서 목청껏 허리를 구부릴 뿐입니다

수다는 천국에 이르지 못합니다 발설이 도달하는 지점은 허리가 불편합니다 나의 오늘은 갱신되지 못합니다

아파트에서 뛰어내린 자들은 구름 가까운 곳에 묻힙니다 고요하므로

창세기, 개들이 짖고 있습니다

난 도둑질을 할 때만 노크를 하지

계란 프라이는 누구의 도시락에 있을까

가해자가 없는 손들의 젓가락, 행방이 궁금하다

서로의 피를 밀서처럼 간직하고 있는

오후 3시 목이 긴 최후의 진술은 코가 길다

오래된 공습처럼 아무것도 증명할 필요 없는

모든 이유는 훔치기에 적절하므로

더 이상 모자에서 새는 발견되지 않는다

우리의 체위는 표정을 짓지 않는 신발처럼 구겨지거나

드문드문 혈흔으로 재생된다

식구가 늘 때마다

열 개의 입은 열두 개의 입을 버리고 무수한 진술을 완성
하고 있다

그건 세상에서 가장 침착한 페인트 모션

너무 좋아서 슬프기에 적당한

당신의 표정을 훔친다

간편한 초대

간편한 나라로 오세요 입은 듯 벗은 듯 차려 입고 오세요 드레스 코드는 레드입니다만 이름은 필요치 않습니다 누군 가의 의자와 포개질 수 있으니까요

입구에서 나비넥타이 고양이를 찾으세요 배꼽으로 연주 하는 악기를 드립니다 셀프 디스는 선택, 걸어오는 문들과 인사들 나누세요 숙명처럼 익숙하게

식탁에는 악어 입이 있습니다 꼬리가 뒤틀린 원숭이를 드신 후 머리를 집어넣습니다 악어가 당신을 맛있게 먹습 니다

으깨어진 풍경들이 경건하군요 환한 썩소로 디저트를 드 시기 바랍니다 헛바늘 따위는 신경 쓰지 마시구요

계단을 내려갈 때는 꼬리뼈를 세우세요 어차피 추락할 표정들이 쏟아질 거예요

당신의 머리는 어디에 있습니까

관계대명사

스타킹은 벗지 않을래

발목까지 차오른 눈물을 본 적 있니

소리에 밟히는 저무는 꽃들 실밥 터진 네 눈동자

올이 나간 스타킹과 그 틈새에 대해

배후와 사라진 악수에 대해

금세 식어버린 문장을 수습하듯 염을 끝내곤 했지

냄새 맡는 물고기처럼

돌아서면 아찔한 뒤태를 옷걸이에 걸어둘 거야, 가끔

그 속으로 들어가 경계를 허물 거야, 그래도

스타킹은 내리지 않을래

꽂꽂이

결국, 발이 없어질 것이다

틈마다, 틈틈이

개인적인 눈들이 박혀 있다

속곳을 더듬던 버튼들
구겨진 화살처럼 눌려 있다

궁금한 기호들은
너무 많은 사연을 불러온다

납작한 기억들이
억눌린 시동을 걸고
낯선 수염의 외부입력을 허락한다

신음을 줄이듯
저만치를 거세한다

여러 개의 몸이 동시에 얼굴이 되고
서로의 이름을 지운다

기억되지 않는 목록들이
이유 없이 복귀되고 있다

오래된 부음

엉덩이가 세 개인 여자
문 앞에서 서성이다 다리를 꼬고 앉아 있다
다리를 꼬고 있는 방향은 분명 오늘인데
당신의 원근법은 내일을 향하고 있다

샤르트르 대성당 길쭉한 질료들이
쓰는 처방전은 하늘로 가는 최초의
부음, 꿈에서 깨어나지 않을 것

아침의 나무는 기름기가 너무 많아
관을 짤 수가 없어

무모하게 떠나는 투전의 길이만큼 아버지의 부의는 평면
뿌리가 없으므로 빈 의자라고 쓴다

그리고는 시끄럽지 않은 독을 마실래
예고편은 너무 궁금하니까

눈 빌려서 온

엉덩이들이 아버지의 손마다 못을 박고 있다

부음은 접착력 없는 잉크처럼

벽에서만 부풀고

거울을 숙성하는

손톱보다 긴 킬 힐들

그리는 손*을 그리고 있다

나는 결코 아버지를 닮지 않았다

* 모리츠 에셔Maurits Cornelis Escher의 그림.

보편적 고백

당신의 선입견이 틀리다는 것
위로가 되지 않는다

몸과 분리된 정신분열의 i가 있다

i의 자화상은 비딱하거나 뜨겁다 조금 더 구겨지면 예쁠
것 같다 잘려나간 신체들은 형식적이다 규칙은 어울리지
않는다

실루엣 사이로 옛 여인이 지나간다 하나였다가 둘이 되
어 다리 사이로 걸어 나온다

핏물을 씻어내는 표현 없는 목장갑, 물고기의 상체를 가
진 그녀는 유용하다 뒷모습이 없는 i는 무용하다

그녀는 슈퍼 주인이 된다 i는 나무 밑 평상에서 글을 쓰
고 있다 그러자고 했다

하루 뒤, 가능한 시점

그 어느 지점

유용하지 않기 위해 무용한 고백

프랜차이즈

　에일리언의 악몽이 협찬된다 창업주 뻥덕M에게 해피엔
딩의 비극은 발설되지 않는다 밤과 몸의 절반이 고장이었
던 F는 남겨 줄 빚을 잊지 않았다 F의 잠행에 대한 모든 의
문은 잊힐 자유에 반한다

　먹물로 쓴 가족의 이름들 열아홉 번째 계단에서 월경처
럼 생성되고 진통은 성황리에 판매된다 밤새 도착한 고지
서마다 연체된 빨판이 붙어있다

　F, 사이렌이 울리고 있어요
　M, 집에서 새는 발음들 밖에서는 무사할까요

　1초 이내의 어느 지점들, 사라진 부족이 모이는 곳, 다리
가 긴 두꺼비집이 산다 밤보다 어두운 전등이 흔들린다 잠
없는 간판들 밤새 안녕, 동굴의 야사는 1kw 간격으로 길을
잃는다

　여러 자루의 낱말들이 이불을 개는 새벽 지층에서부터

반대말들이 생성된다 대체로 흐림의 불길한 기상예보는 대
체로 정확히 불안하다

세잔의 단백질

과일이 시계방향으로 자라는 데 이의 있습니다

지구 끝에서 추락하는 힘의 파편과
분명한 뼈대는 늦게 도착한다 일기는 150번쯤 뒤에야 완
성되고 원작의 의도는 비딱한 기둥이 되지

옥상에는 구경꾼들이 내일의 행상을 주시하고

병과 사과, 바구니는 테이블보에서 사라졌다 만져지지
않는 나는 혼자였다가 허겁지겁 나를 대신할 수 있는 관심
밖에 머문다

하루 일찍 세상을 배운 귀가 없는 나는
몸에서 노란색 단내가 난다

어버지가 다시 죽었으면 좋겠어

햇빛이 커질 때마다

태양이 사라지는 걸 생각해
궁금한 표면은 침실에서만 잉태되고

아버지와 닮지 않은 얼굴
벌거벗은 허리춤에서
나는 둥그랗지 않은 사람

보이는 것과 보이지 않는 것 사이의
과일들이
어긋난 수평선 위에 놓여 있다

적의 화장법*

귀 기울이면 더 깊은 수렁의 말이 된다 어젯밤 학교가 불
탔다 시험은 연기되었고 학부모들은 가계로 돌아갔다

불특정 다수의 죽음은 시간을 벌어들인다

당신의 뇌가 내 무덤에 안장된다 어제는 몇 명을 죽였을
까 가장 두꺼운 지상을 배회한다 칼날의 한 쪽은 마음 쪽으
로 자라고 있다

누군가 사라진다 오늘의 화장은 내 편이 아니다 가계로
돌아온 학교는 다시 불타고 있다

누군가 말을 걸어온다면
아주 조금씩
지난 시간을 배회하는 그대가
내 안에 있다

* 아멜리 노통브Amelie Nothomb의 소설.

자독自瀆

아침마다 침을 뱉어요

이중 창틀에 오늘의 비보를 구겨 넣어요

여기는 마르지 않는 구름이 너무 많아요

누군가의 안부를 적시할 때마다
쥐똥나무 가지가 덜거덕거려요

우리의 아침은 반들반들

왼쪽부터
문이 닫히는 간격을 느껴요

바다의 뚜껑을 따요 당신의 내장이 좋아요 말랑말랑한
선인장 같은
그래서 고통 이전의 애인이 필요할 때
소리치고 싶어질 때

인적 없는 꿈을 꾸어요

중상에 대한 목록마다 쥐똥 냄새가 나요

참 지긋지긋해요

굿모닝

1.

세상에 없는 목소리로 듣는다 박카스 하나랑 임테기 하나 주세요 아침 첫 목소리로 검사해야 해요 일어나지 않을 것이라 단정하는 일은 예정대로 일어난다 상대가 없는 내 문제라고 자책하진 말아요 진심이 아니길 바라는 울음은 모두 진심이니까요 문자로는 전송되지 않아요

2.

오늘도 무사히는 간절하지 않다 어제 살았으므로 오늘도 살 것이라는 우연은 지루하다 남자를 사랑할 때는 목을 조심해야 한다 뜻하지 않은 일들은 소리의 가면을 쓰고 있다 거북이와 토끼의 우화는 두 개의 세계가 하나로 연결되고 물 밖과 속이 구분되지 않는다

3.

　응축된 계란이 접시에 담긴다 코끼리를 비추는 백조는 악몽에서 깨어날 수 있을까 아빠와 나는 승화될 수 있을까 전화기는 바쁘고 더 이상 울리지 않는다 보물섬에서는 풀이 새가 된다 새들은 다리를 땅에 묻고 자란다 그래서 모두 안녕

제2부

목 없는 얼굴

마당이 줄어들고 있습니다 주머니 속에서 조각 난 얼굴을 꺼냅니다 얼굴은 앞을 보지 못합니다 거울은 깨진 유리창처럼 외면합니다 나는 나를 비추는 거울입니다

관계가 소원해질 때마다 당신은 무거워집니다 입이 줄어듭니다 얼굴이 그랬죠 주머니 속의 형용사는 명료하지 않다는 것, 그래요 주머니는 당신과 닮았어요

당신은 너무 많은 립스틱을 담았군요 두꺼워진 눈썹과 매니큐어가 창살처럼 화려하군요 오늘 아침 당신의 주머니를 뒤졌어요 낡은 손톱과 몇 마디의 불완전명사가 갇혀 있더군요

분산된 얼굴들이
불임의 계절을 지나고 있어요

입술이 없어지고
손톱 없는 손들이

당신을 부르고

산란하게, 마당이 줄어들고 있습니다

프리허그

혀 없이 그대를 품을 수 있을까

일제히 두 손을 들면 모서리가 생긴다 모서리에 숨어있던 앞선 사람들이 앞선 사람의 목을 조른다 손과 목의 행간에 치명적인 힘이 가해진다 깃이 빳빳해진다 뭉클하거나 딱딱한 손이 뜨겁다

거리를 방황하는 아이들은 밤이면
서둘러
낮이 된다

다리는 오므렸고
입자들은 밀착되지 않았다
손은 집에 두고 왔다

없는 혀가 만든 말에는 수분이 없다

시간은 날카로워지고

군중은 더 자극적

오로지
사라지지 않는
뒤통수가 가렵다

무거운 식단

텃밭에 팔 달린 상어를 키울 거예요 마늘과 바트라코톡신을 먹일 겁니다 아마 3억 년쯤 뒤에는 발이 자라나 사막을 여행할 겁니다 그곳에도 당신을 닮은, 검은 햇살을 끌어당긴 독설의 아침상이 푸짐하군요 저녁에는 시린 잇몸으로 폭설 같은 허기를 상형문자로 채우겠지요 너무 무거운 것만 먹었으므로 목젖에 물이 걸리는 군요 너무 많은 팔들이었으므로 읽는 것이 어려울지도 몰라요 배설은 너무 딱딱했으므로 발목이 저려올 때도 있을 거예요 우리는 지독한 난독증이군요 너무 오래 팔을 뻗고 있었으므로 식도는 무거워지고 위산이 넘칠지도 몰라요 너무 늦었으므로 쉽게 단단해진 우리의 야식은 거꾸로 읽는 레시피처럼 굴절될 겁니다

별나라 잠행

달이 눈썹의 길이로 내려앉는 날, 그 날마다 별의 문이 열린다 별사람들 숙면에 취해 있다 별에서의 일은 새털 같은 이슬을 세는 일뿐이다 무료한 별나라 이주민들은 물을 키우기로 했다 물은 자라면서 가벼워지는 속성을 익혔다 산란기에는 우수가 되어 롤러코스터처럼 지상에 내려앉거나 앞발의 미각으로 야음의 속곳을 뒤지기도 했다 물은 낮에만 자랐다 밤에는 너무 많은 지상의 눈이 부담스러워, 구름 속에서 사랑을 나누고 괄약근을 키우기도 했다

물의 심장이 뛰기 시작했다 별나라 사람들은 종이컵에 심장을 담아두었고 손저울로 무게를 단다 심장의 적정 무게는 두 근 반, 세 근을 넘기는 심장은 별나라 수문장의 간식으로 제공된다 평정심을 잃어버린 물은 미완의 반숙이거나 바르지 않는 바퀴가 될 것이라 믿었다 별스러운 생각은 그들만의 법칙이었다 모든 생성은 물로부터 시작되었고 물은 꿈을 꾸기 시작했다

더 이상 하늘을 쳐다볼 수 없다

오지 여행

걸을 수 없다
어깨가 깨져
우리는 서로의 정강이를 걷어찼다

핼러윈 데이
머리는 두고 머리카락만 가지고 가는
팬티만 걸치고 가는
벨트를 풀고
챔피언만 가는 나이트가 있다

부비부비
그녀의 뒤에 서서
척추는 있고 등이 없는 나는

배는 없고 허리만 있는
그녀가 머리를 찧고 있다

허벅지는 있고 엉덩이가 없는

귀는 없고 달팽이관만 있는

두덩만 있고 털은 없는

발가락을 두고 발바닥만 가지고 간다

손은 두고 손가락만 가지고 간다

기린이 가는 나이트클럽이 있다

라오스에는

즐거운 만찬

숟가락으로 얼굴을 퍼먹는다

밋밋한 볼살을 먹기 전에
눈물이 밴
눈알의 흰자위를 빨아먹는다

뱃살로 버무린 샐러드는
쫄깃한 엉덩이 살과 먹어야
제맛

발가락으로
등뼈의 살을 해체한다

발등으로 찍어내린
납작한 마늘소스 갈비의 곡선처럼 뿌려진다

훈제된 갈빗살 하나씩 집어 든다
내장은 아직 끓고 있다

배꼽이 부풀어 오른다

저녁의 허기가 뽀득뽀득
발목을 뜯고 있다

복제된 식성들이
서로의 이름을 부를 때마다
사라지고 있다

신연금술

    두개골을 가른다 스톨리치나야를 마시며 부기를 기다린다 머리뼈가 녹아내리고 독주의 염증이 생기기 시작했다 감염과 합병증의 술잔을 비운다 온전히 남은 한쪽 머리뼈를 빗질한다 플라스틱으로 두개골을 만들고 갈아놓은 갈비뼈에 60℃의 밀가루를 배합한다 고환 같은 새알심을 광대뼈에 넣는다 몇몇의 장구꾼이 지상에 내려왔을지 모른다

    티타늄 알갱이들이 레이저를 맞으며 발기되고 접신의 입자들이 땀에 젖었다 불안한 생물학적 세포들이 장기에 주입되고 한기가 느껴지고 있다

    무너진 두개골과 반쪽의 얼굴들이
    결박된 그림 속에서
    불현듯 바쁘다

감춰진 살의殺意

당신의 등에 감춰진 걸 알아요 내가 움직일 때마다 박수
가 쌓였죠 원하는 걸 알아요 우리 선수잖아요 식사처럼 대
화를 나눠 봐요 우리의 입놀림이 진술할 수 없음은 속살 오
른 채찍 때문이죠 물은 콘크리트처럼 단단해요 거미줄에
지느러미를 벗어두고 한가한 햇살을 맛보고 싶어요 가린
등을 치워줘요 등 뒤에만 빛들이 있잖아요 나의 발은 허물
어지고 있어요 발등이 부풀어 오르고 있어요 놀라지 말아
요 우리가 처음 만났을 때 당신은 나의 옷을 감췄어요 당신
이 주는 품삯은 욕값이랬죠 당신은 너무 미끄러워요 나의
슬라이딩에 환호하지만 당신이 넘어지면 좋겠어요 물속에
서 처음 만났을 때 당신은 눈도 뜨지 못했어요 그러나 눈은
맑았어요 박수소리가 커질 때마다 충혈되었죠 백내장이 의
심스러워요 당신의 눈을 주머니에 넣어두세요 화장을 지울
거예요 무대화장은 매우 가벼워요 이제 당신의 손에 감춰
진 걸 내놓아요

베르테르

1.

여자가 가슴을 찔렀다 발랄한 시신 옆에는 구름이 홍건
했고 하늘커튼은 낮을 가리고 있었다 그녀는 보이지 않는
손에 의해 노래를 부르다 벽에 걸린 날카로운 먼지와 마주
쳤고 먼지 속의 비수를 품에 안았다 경찰은 그녀와 먼지와
의 관계를 파악하는 것이 열쇠라고 했다 자물통이 된 그녀
의 어느 구석에도 구멍은 없었다

2.

같은 장소에서 한 남자가 목을 맸다 그날도 비가 내리고
있었다 유품은 촉이 뭉툭해진 열쇠 하나와 녹슨 구름뿐이
었다 검식 결과 그는 한 번도 사랑을 나눠본 적이 없었다
평행의 구름과 비, 먼지의 상관관계를 밝히는 것이 이 사건
의 핵심이라는 결론에 도달했다

3.

　4월이 끝나기까지 사건은 해결되지 않았고 경찰은 성급히, 이제까지의 의문은 서로 아무런 연관이 없다는 수사 결과를 발표했다 유력한 용의자는 늘 행방이 묘연하다는 기록만을 남겼다 모텔 주인은 빛이 들어오지 않는 모든 방들을 폐쇄했다

4.

　실어증은 말 이전의 말을 배우게 한다

곳간

옷걸이에 닭을 걸어둔다
목이 자유롭다
옷고름을 풀어헤친 채 세간을 어지럽혀도
옷걸이는 무관심하다

나는 16개월 동안 무심한 알을 낳았다 총애 받는 생식기
를 가진 동료들은 몸속의 피를 토해낸 새 자궁으로 다시 절
반의 새를 낳았다

집착의 호르몬이
배란을 촉진할 때마다
발가락이 간지러웠다

폴 베리 박사*는 스트레스 없이 분당 150마리의 닭을 살
처분했고 이들은 발굴되지 않았다 양계장에는 사은품으로
털 뽑아주는 기계가 제공됐다

제모를 귀찮아하던 암탉들의

날갯짓이 가벼워지면서
더 많은 닭들이
옷걸이에
걸려들었다

학교에서의 우등생들은 모두 곳간에 모여들었다

임신은 시각에 반비례하고 불확실성에 정비례한다

* 사람 대신 닭을 잡아주는 기계를 개발한 영국인.

포즈

손톱을 깎을 때 당신의 뇌는
불편해진다

방심할 수 없는 경직처럼
촉수에 가해지는 무게보다
이빨을 무는 힘이 더 강해진다
온몸이 까칠해진다
손톱이 삐딱해진다
큰 톱이 된다
맛있는 얼굴을 탐할 때마다
혀를 물거나
입속을 깨무는 것처럼
통제되지 않는다
손톱이 발이 되고
발톱이 도구가 되는
이상한 뇌들은

손톱깎이로

얼굴을 깎는다

깎여진 얼굴들은
변기에 버려졌다

의혹

점자를 읽듯 밤의 민낯을 읽는다

가끔 송충이가 나의 몸에 있고
당신을 더듬듯 점자를 더듬는다

당신과 점자와 송충이는 모두 벌거숭이다

움찔움찔
음성이 튀어 오르고
집에 사는 모든 벌레들이 몰려들었다
일제히

볼록해진 볼살처럼
점자도 당신도
오목해져간다

점자는 익숙할수록 또렷해지고
지네처럼 느리고 끈질기다

당신은 눈을 떠도 감긴 눈이다

뱉어놓은 우리의 의혹만 뚜렷하다

귀 성장 클리닉

좌우가 선명하지 않은 날에는
냄새만 맡으세요

눈 한번 닫아볼래요
육감적이군요

당신은 털 속에서만 자라네요

손가락을 너무 깊이 넣었기 때문이죠

구구단은 외울수록 키가 커진답니다
읽는 것은 결국 귀의 몫이에요

스스로에게 자주 대못을 박나요

쫑긋,
충혈되어 있군요

물증 없이

심정만으로 꿈을 키우세요

그러면 더

작은 난장이가 될 겁니다

Nikon

얼굴이 사라진다

얼굴을 신다가 사라진 구두들을 생각한다

사라진지 모르는 그 사이에서

사라지고 있는

서로를 확정할 때마다 속눈썹이 아프다

당신의 발은 옥상에서 떨어지고 있다

계단은 더 이상 옥상을 지탱하지 않는다

신어지는 얼굴들이 구두 속에 있다

나에 의해 사라진 얼굴들처럼

한번 찍힌 얼굴은 아무도 기억하지 않는다

제3부

섬

지금, 여기가 여기인 걸요 멀리 갈 것 없잖아요 당신은
여기가 아니라지만 부정의 낭패를 잘 알잖아요 눈을 감아
요 코를 베어 가는 칼질을 느껴 봐요 얼굴이 따갑거나 등
이 가려울 거예요 지도에도 없는 주머니 속에 당신이 있잖
아요

방금, 또 하나의 여기가 생기네요 무수한 여기가 방심을
틈타 주소를 옮기네요 저주는 이전되는 등기와도 같아요
화병禍病들이 심어져 있네요 당신의 정원은 너무 정확하군
요 잡초들이 무반동총처럼 기립해 있네요 당신의 심지는
늘 불타고 있군요

멀리, 여기가 보이네요 떠밀수록 가까워지는 여기네요
상극의 지남철이 부비부비 엉덩이를 까고 있네요 여기서는
발 없이 누군가를 찰 수 있다지요 시작만 있는 고립은 여기
에서 시작되었다지요 당신의 일상이 멈춰있는 여기에는 보
이지 않는 여기뿐이네요

아이참, 열쇠를 두고 왔네요 그때까지 머물러 주서야겠
어요

불순한 입

발톱은 거짓말을 먹고 자랍니다

양말을 벗을 때마다
짧은 기도와
오늘의 일기가 불편합니다

페라가모 아쿠아 에센셜 블루 씨는 샤워 후
다시 양말을 신어야
수면에 들 수 있습니다

깊이보다 길이에 현혹되는 우산처럼
포장의 기술이 톱날을 지웁니다

그러면 우리는
모르는 얼굴의 발들과 친밀한 대화를 나눕니다

살점이 보이는 당신과는 어떤 의혹도 필요치 않습니다

버려진 개들에게 반문하면 안 됩니다

불편한 뒤끝은 구겨진 종이 속에 있습니다

깡통의 속성들이
자꾸만 더 부풀어 오릅니다

육수 레시피

오른팔을 떼어내 믹스기에 넣어요
때론 그것이 잊힌 심장이거나
도마 위의 수평선을 잃어버린
새우였는지도 몰라요

골목에서 태어난 펭귄들을
우려내는 건
국자만이 아니죠

자근자근 칼집을 내줘요
공기에 맞서는 것처럼

밑바닥은 맵군요

눈알이 수직으로 튀어 오르는 시간,
도주의 적정온도죠

땀에 젖은 12월의 달력과

단단한 오후의 꿈

오늘은 맛있는 죽음을 맛볼래요

벤허 김 씨

우리 동네 목욕탕 이주노동자 벤허 김 씨
예루살렘의 유력한 가문의 아들이었을지도

물선 한국 땅
그가 지배하는 침대는 관과 같아
관의 사연을 여는 순간 어떤 재앙이 몰려올지

그의 침대에 숙성된 몸을 올리고
이태리타월이 전하는
거친 숨소리에
일어나는 탄력만이 싱싱해

용병이 된 그는
나를 채찍질하고 있는지도

어떤 질문도 없이 순순히 몸을 내어 놓고
나는 늘 투명한 나를 만나고
생선비늘 벗기듯 나를 해부하고 있는지도 몰라

우리 동네 목욕탕 혼음하듯 뒤섞이는 날

너와 나 전생의

생생한 죄업이 깊어가고 있는지 우리는 몰라

빨간 구두

뒤꿈치의 굳은살이 굽만큼 어긋나 있다
그 옆으로 까마귀 한 마리 날아가고 있다
각진 상처는 복원된다

발바닥이 없어지고 있다
발가락이 간지러웠다

빨간 무좀이 발톱을 파고들었다
잘근잘근 씹혔다

양말을 찾을 수 없다

레몬으로 도끼를 닦아
희석된 식초에 담아둔다

머리가 발이 되고 있었다

그녀는 벗겨졌다

나무꾼은 한가하지 않다

화살나무

　고동의 노란 속살을 빼먹는 아침 재킷 구멍에 눈 없는 눈
썹 하나씩 매단다 몸속의 나이테만큼 겉돌고 싶은 놓쳐버
린 아귀의 힘 새가 되지 못한 구름의 소리 하나의 귀를 떠
나 두 개의 귀를 관통하고 있다 절단된 폭포처럼 회귀하지
않겠다는 숨죽이는 질주의 촉이 달궈진 석쇠 위에서 졸여
지고 있다 아랫목을 차지하기 위해 서로의 살이 밀쳐지는
사이 오늘의 메뉴는 아무것도 먹지 않기 그리고 입술 없는
입 혀 없는 소리

허니문 베이비

달덩이의 무게는 눈알과 동일하다 달이 없는 날이면 축 농중이 심해진다 앞과 뒤의 거리는 너로부터 이격된 만큼 이다 되돌아오기 위해서는 날을 세우는 방식을 익혀야 한 다 오늘의 익숙함은 오늘이 처음이다 그리고는 세상의 처 음인 첫날밤을 보낼 것이다 답례로 떡을 돌릴 것이다

너는 음식이 아니라 행위라고 믿어왔다

음식이 행위가 되고 도구가 되는 것은 첫날밤부터 시작 되었다 대치하고 있는 발가락이 벌어지고 있다

결국, 발가락만이 생존하는 힘이다

신발

내가 간다고 자신할 수 없다
한 발짝도 나설 수 없어 너에게 갇혀 있다

너보다 앞서간다고 말할 수 없다
네 속에 내가 있을 뿐이다

너는 안으로 들어올 수 없다
너는 늘 밖이다

밖이 안을 지배하는 것은
발의 문제만이 아니다

훔치거나 감춰질 수 없는 너는
견고한 뼈다

들어오서요
식사나 한 번 하시죠

신은

중력으로부터 밀려난

무신론자였다

정오의 희망곡

정오를 중오로 읽는 시간

사람이 없어진다

당신의 희망곡希望哭은

지독한 방광을 가졌다

요도도 길이어서 자주 길을 잃는다

변기는 거꾸로 놓여 있다

아이들은 오른손을 들고 있다

목을 조르는 힘은 형식이 없다

도돌이표에 갇혀 있다

방광을 발광으로 읽는 덜 여문 시간

오늘의 신청곡은

크리넥스

일종의 간택이다

        되돌림 음표처럼 관능이다

유리방에서 붉게 감춰져 있는 너를 보았다

        천장을 읽는 것은 바닥뿐이다

맨발의 문자는 따갑지 않지만 지워지지 않는다

        실크 터치, 보습 울트라 소프트처럼 기교적이다

이제 시작해볼까요, 움켜쥐진 말아요

        뒤끝 있는 입술을 훔치는 야음의 펄프들

섬유질의 아침까지 틈을 만들고 있다

틈은 간격이 아니라 긴장된 통증이다

                            틈 속에서 자꾸만 납작해지는

그녀의 여린 입자가 의심스럽다

가속도

    과적 차량이 제 몸무게를 이기지 못하고 기울어져 있어 제 중량을 감당하지 못한 과욕의 기울기와 I의 기울기가 오버랩 돼 눈이 부셔 나의 중량이 버거운 것은 아닐까 언제 기울기의 실체가 드러날지 궁금해 부끄러워 비스듬한 기울기를 갖고 출발한 운전사의 무게는 기울어진 기울기만큼 무거운 몸을 가졌을 거야 근데 기울기는 어떻게 구하는 거야 비선형 회귀분석 변곡점의 기울기는 뭐야 막다른 커브 길에서 우리는 삶의 기울기를 만나 기울기의 실체를 여실히 드러낼 수밖에 없어 그곳에 가보면 알아 기울어져 가는 아침이 기울고 무릎은 바닥을 향해 있어 기울기는 가속도 잖아 당신의 기울기는 안전하니

제4부

클라라 브람스

클라라, 오늘은 연탄 고기를 먹는 게 어떨까 근사한 막걸리 와인도 곁들일게 비 오는 날 나는 조리사가 되잖아 입가에 묻어나는 독주의 향에 비할 바가 아니지 우선 눅눅해진 몸을 말려

클라라, 내 속으로도 비가 들어오네 팽창하는 살들이 느껴져 레시피를 펼쳐 연탄의 배합량을 정확히 해야 해 0.02% 3시간 내에 혀가 잘려나가 0.04% 2시간 내에 앞니 3.5시간 내에 어금니가 빠져나가 0.08% 45분에서 우뇌통이 오고 2시간 내에 오르가슴에 도달해

클라라, 이쯤에서 우리 선택할까 0.16% 20분 내에 좌뇌통이 오고 2시간 후엔 이 문을 나서야 해 0.32% 30분 0.64% 15분 1.28%는 1~3분이래 문을 나서면 슈만과 브람스가 기다릴 거야 그날도 비가 오고 있었잖아 슈만과 클라라 레스토랑에서 나는 브람스만을 생각하고 있어 당신의 손을 잡을 거야 클라라 브람스

버버리맨

 큰, 가슴이었으면 좋겠어 모든 시선이 돋보기처럼 나를 향할 거야 누구나 끈 하나는 잡아야 하잖아 당신은 어느 라인이야 그는 가슴라인에 서고 싶었대 그의 꿈은 황색 저널리즘에 등장해 낙타보다 큰, 가슴만 보지 말라는 자막을 까는 거래 U 라인이 티눈처럼 박혀도 품위 없이 흥분하면 안 돼 격조 없는 시도 안 돼 버버리맨은 있는 것을, 자신에게만, 보여줬다네 가슴은 공공의 연인이지만 버버리의 단추를 떨어트리는 순간, 공공의 적이 되는 공공연한 비밀을 후회하고 있다네 가슴과 버버리는 연적이었나 봐 그에게도 흔들리는 가슴이 있었으면 좋겠어 그도 나처럼 장님이었으면 좋겠어 눈먼 사랑은 훔치지도 들추지도 않는 품위가 있잖아

나의 왼쪽은 까지고 오른쪽은 멍들었다

우루무치 거리에서 만난
누란의 미녀가 조리대 앞에서
생각의 속옷을 갈아입고 있다

알라딘의 냄비에는
채 썰린 손가락과
모래의 입김으로 양념한
불완전한 미래가 조려지고
식탁에는 몇 점의 언성이 차려졌다

그들은 서로 읽혀지지 않았지만
내장은 더 단단해지고 있다

허리춤에 감춰둔 혀가
타클라마칸 사막을 지나면
빠져나간 의문들이 목격되고

불현듯 카시오페이아자리를 돌고 있던

냄비 속의 그녀들도

미라처럼 조여들고 있다

깎이고 멍드는 조리법은

사막의 뒷골목을 배회하는

흔한 의문들이다

수신거부

버릴 수 없었습니다
지울수록 더 그리워집니다
기다림에 지쳐 팝업으로 떠오르는 그대보다
잊고자 했던 그대에게 먼저 갑니다

스팸 문자열 속에 가둬둔
당일 대출 태20 러30 노래60 텔60
몰래몰래 그대 숨결 느낍니다

몰래 한 사랑처럼
스팸에 중독된 나는 버릴 수 없습니다

벨이 울리지 않습니다
수신음조차 들을 수 없습니다
설정과 해제를 오가며 그대 소식 기다리지만
기다리지 않음은 기다림보다 더 한숨 지움을 그대는 모
릅니다

액정으로 비치는 그대

흔적을 남겨두고 떠나지만

옷깃조차 스치지 않았다는 것을 그대는 모릅니다

그대를 해제하기까지는

얼음 밑 살얼음이 더 두껍습니다

나는 그대를 거부하지 않습니다

오늘은 나를 해제합니다

훌라할 줄 아세요

물은 물끼리
연결되는 파도는 그들끼리
접붙기를 좋아한다
색은 혼합되는 천성을 타고났다

천상의 숫자가 모이거나
열세 개의 숫자가 합쳐지면
최상의 이즘이다
누군가에게는 불평등 조약이다

버리거나 줍거나 끼우거나
세상의 기운은 운7 복3 기1이다

손에 쥔 것을 비우고
잃거나 잊어버림을 자랑하지 않지만
신데렐라의 금지된 시간을 넘기면
사람을 버리는 동화다

채워지면 채워질수록

중심으로부터 멀어지는

접미사

원 나이트를 꿈꾸는 불빛
밑으로 불나방이 혼잡하다

황진이의 명찰에 이끌리는 당신은
무명씨,
꼬리를 분쇄해

무장해제의 시간까지
인내심의 저울추가
세워질 때까지
머리 내밀기는 품위 없어

접점의 탐색전
접미사의 분주한 발걸음이
흘레붙는 시간은
새벽이 오기까지의
지루한 순간이야

공든 만큼

릴리트*

곱슬머리 여자가 북극을 삐딱하게 쳐다보고 있다

어금니를 보내고

송곳니로 질근질근 씹고 싶다고

　세상에 못 믿을 게 일기예보라고 되뇌며 비오는 금요일
오후의 체중 같은 복사뼈를 만지고 있다

　속눈썹을 그리며 오늘은 꼭
　뱉어놓은 낭떠러지에 이르겠다고 잇몸에게 말한다

　삐딱한 여자가 헛발질처럼
　립스틱을 빠는 시간
　머리가 쭈뼛하게 자라고 있다

　회전문의 속도가
　어떤 때의 그 즈음으로

돌아갈 때,

독한 그녀가 내 뼈를 씹고 있다

* 아담의 첫 여자, 이브 이전의 여자.

모자를 쓰자

중심은 솟구치는 심성을 가졌다
이가 나간 지퍼처럼
가벼워진 중심은 이단의
모자를 쓰고 싶다

중심이 바로 서지 않으면
모자의 혁명은 불발탄
티눈처럼 불편하다

중력과 중심이 대치하는 접점에서
어긋나는
(아직 머리를 찾지 못하셨군요)

중심은 종교와 같아
달래려 하지 않는다
달래지지 않는다

넘쳐나는 바람으로

방임하고 있다

시린 입김에
치마 속으로 숨어드는
회귀 본능의 발현
그곳에 모자가 있다
(믿지 못하겠다는 눈치군요)
(그럼 당신의 귀를 청소해보세요)

10초의 거리

단단해지고 싶다
가장 아름답게 벗기고 싶다

얇은 피부가 늘어나도록 며칠을 굶는다 목에 호스를 꽂아 열기구처럼 부풀 때까지 술을 먹는다 벌려진 입 속으로 칼을 넣어 척추를 해체한다 머리에 못을 박는다 박힌 머리를 삭둑, 자른다 오렌지색 피가 봇물처럼 뿌려진다 나는 온전히 벗겨진다 200년 전처럼

대사율이 느리고 혈압이 낮아진다 산소와의 내통을 끊는다 신경의 손상이 느린 것은 즐거운 고통 머리는 머리대로 몸은 몸대로 날카롭다 늦고 날카로운 만큼 은혜로운 무두질이다

벗겨진 채 며칠을 살아 있었고
부위별로 관능적 빛깔이 입혀진다

인식되는 거리마다

비를 피하는 아담의 언어들이 바쁘다

무협

은밀한 관계들이 창밖에 있다 다시 읽지 않는다

맺으려는 자와 끊으려는 자가 목록 앞에서 서로를 끼워 넣는다

일어난 사건과 일어났다고 판단하는 사건의 모든 진실은 현명하지 않다

우리는 서로의 손톱을 깨물며 말머리를 자르기로 했다

두 번 우는 세입자처럼

이중생활은 공장 지하에서도 사라질 위기에 놓였고 거짓이 난무하는 곳에서는 출마 선언이 이어진다

한 아이가 죽기 전 전국의 강추위는 만행처럼 드러났다

소말리아 해변 식당에서는 20명 이상이 초고속 어뢰에

당했고 할리우드 배우는 팬과 사랑에 빠졌다

　스마트 조폭들은 족보를 버리고 스키니 각선미로 시선을
싹쓸이하고 있다

　521% 살인금리로 한탕을 노리는 단팥빵 위에는 깨가 뿌
려지고 있다

일요일도 아닌데

일요일을 잘라 옷을 깁는다
평일이 훤하게 다 비친다

아내도 아닌데 부엌이 보인다

아침도 아닌데 오후 서너 시쯤이다

개지 않은 금요일과
기름종이들
토요일의 장례식에 모여들고
서로의 입은 예배 중이다
월요일이 실종되고
손 없는 평일들이 이사를 한다 일요일도 아닌데
문마다 영역을 표시한다

일요일의 궁금한 속셈들이 말없이
내게 덤벼들고 나는 서둘러
일요일을 빠져나와

일요일을 세다 보면

최초의 일요일들이 자꾸만 찾아온다

일주일째 집을 나서지 않은 사람들을 위한 집 밖의 사람들이 있다고 하자

접이식 간이의자의 엉덩이 파란색이다
두 마리의 시선
누군가의 시간을 뺏는 싸움
가는 자와 가는 작용이 만나는
나는 아직 적도에 있다

무게를 지탱하는 일
다리만의 힘이 아니다 무게는 어깨보다 위에 있다
아이스크림이 녹는 지점처럼
다시 오지 않을 생일
슬픔에는 속도가 없다

손톱을 너무 깊게 자른 날
살점이 돋는 시간은 상상력의 길이만큼 휘어진다
창밖을 서성이는 하루
나의 말투를 훔치는 구름들은
고집스럽다

내일을 구별하기 어렵다
바퀴가 땅을 굴리는 일
입 밖으로 나온 오늘의 말들은
가장 가혹한 답을 불러온다

당신의 질문에 답하지 않겠다

나는 안이 없는 사람

넘버 2

검은 대륙에 흰 독수리의 문자가 떠돌고 있다 정글 속 사각거리는 문자의 입자들 무방비의 저녁에서 돌아오는 아침이면 바람의 소리를 닮은 낱말들이 상처 난 머리카락을 내놓고 있다

우리의 손은 간밤의 소리보다, 문자보다 늦었다

늪지를 빠져나온 자판은 눈보다 지문을 먼저 익혀야 한다 자음과 모음의 법칙은 정글에서 통하지 않는다 소리만이 강자가 된다 자판이 만드는 존재의 문자는 낯선 상처를 안기는 이별이 많았다

탈주하는 말들의 풍경

김진수

(문학평론가)

1.

김익경의 첫 시집 『모음의 절반은 밤이다』를 처음 펼쳐드는 독자들은 상당히 당혹스러울 것이다. 우선, 간명하긴 하지만 수수께끼 같은 시집의 제목부터 그러하다. 독자는 그 의미의 실마리를 찾고자 같은 제목의 시가 있는지 시집의 '차례'부터 살펴보겠지만, 그런 제목의 시는커녕 그런 구절이 들어 있는 시조차 발견되지 않는다. 통사론적으로 완결된 한 문장의 의미가 불명확하다면, 그것을 둘러 싼 맥락(context)의 도움이라도 받아야 한다. 하지만 시집에서는 그런 맥락조차 발견되지 않는다. 의문은 해결되지 않은 채 여전히 수수께끼로 남는다. 제목의 경우에만 사정이 그러한 게 아니다. 시집에 실린 51편의 시들 대부분이 제목의 의미를 캐려는 수고쯤이야 수고도 아니라는 양 한층 더 난감함을 불러일으킨다. 통사론적으로 파편화 되어 있는 시어들은 그 의미론적 맥락을 짐작하기가 어렵고, 시적 이미지들 역시 거의 아무런 관련성이 없는 것처럼 보이는 것들이 서로 병렬적으로나 중첩적으로 제시되어 있어 그 의미의 해독이 쉽지 않다. 두 경우 모두를 고려해 단순하게 말하자면, 김익경의 시적 언어들은 그것이 드러내고 있는 기표와 그것이 지시하고자 하는 기의 사이의 거리가 너무 멀어(기표와 기의의 관계가 자의적이라는 것은 물론 널리 알려져 있는 사실이지만, 그렇더라도 이 자의성은 언어공동체 구성원들의 약속에 의해 제한되어 '사전적으로' 정의되어 있다) 그 의미를 해독하기가 어렵다는 결론을 얻게 된다. 시학의 측면에서 말하자면, 언어의 외연(denotation)과 내포(connotation) 사이의 간격이 너무 커서(혹은 이질적이거나 전복적이어서) 마치 초현실적인 상징의 화폭처럼 난해한 풍경을 만들어낸다고 말할 수 있을지도 모르겠다.

「시인의 말」과 더불어 시작되는 시집에서, '시인의 말'은 그 시집의 좌표와 방향과 목표를, 혹은 그것들에 대한 어떤 단서를 던져주기도 한다. 하지만 김익경의 시집에서 그것은 마치 해독 불가능한 요령부득의 암호로 이루어진 유서나 유언처럼 읽히기도 한다. "내 몸의 기관들이 갈기갈기/ 쓸모없이/ 누군가,/ 부고를 내지 말 것"(「시인의 말」)이란 말들은 하나의 온전한 문장들로 수렴되지 못하고, 그야말로 '갈기갈기' 파편화 되고 분절되어 있다. 통사론의 규칙을 따르지 않은 분절된 말들(혹은 그 흔적들이나 풍경)은 그러므로, 당연히, 의미론의 틀 속에 온전히 자리할 수 없다. 왜냐하면 의미란 기본적으로 문장 단위로만 구성되고 또 그 문장은 엄격한 통사론의 규칙을 따라야 하기 때문이다. 「시인의 말」에서는 다행히도 마지막 한 구절만은 온전한 문장을 만들고 있어서, 그 의미를 독해하기가 어렵지 않긴 하지만 말이다. 이런 사태는 시집에 실린 많은 시들(특히 시집의 제1부)에서 벌어지고 있는 실정이다. 가령, 『모음의 절반은 밤이다』의 첫 자리를 차지하고 있는 「초면들」이란 시에는 "입을 떠난 얼굴들이 일제히 실례를 합니다" 같은 해독하기 난감한 문장이 등장한다. 주어와 술어를 갖는 형식상의 문장은 완성된 것처럼 보이지만, 그것은 의미론적 맥락에서 주술 관계를 형성하지 못한 채 결합될 수 없는 말들의 파편으로 흩어져 있는 것처럼 보인다. 시인의 표현을 빌리자면, 아마도 말들이 구성하는 '으깨어진 풍경'(「간편한 초대」) 같은 것일지도 모르겠다. "읽는 것은 결국 귀의 몫이에요"(「귀 성장 클리닉」) 같은 문장이나 "얼굴을 신다가 사라진 구두들을 생각한다"(「Nikon」) 같은 전도된 의미의 문장은 그나마 정도가 덜한 편에 속한다고 할 수 있다. 그렇다면 어떻게 이런 일들이 벌어진 것일까? 우리의 행로는 이 의문을 해결하는 과정을 거치지 않을 수 없겠다. "점자를 읽듯 밤의 민낯을 읽는"(「의혹」) 시인의 독해법을 따라가야 할 이유이다.

우선, 이미 언급된 「초면들」이라는 시에서 그나마 해독하기가 비교적 수월해 보이는 문장으로부터 시작해보자. 시에는 "거울 앞에서 당신은 나의 옷을 벗고 있습니다"(「초면들」)라는 구절이 등장한다. 물론 '거울 앞에서' "나의 옷을 벗고 있"는 '당신'이 '나' 이외의 다른 존재일리는 없을 것이다. 그런데 문제는, 그가 '초면'인 듯하다는 사실에 있다. 그래서 "우리, 언제 봤었던가요"라는 '질문'(시의 첫 구절이 "이런 질문해도 될까요"이다)이 등장하는 것이다. 그리고 이어지는 시의 마지막 구절은 "너무 멀리 와 버렸네요"이다. 독자로서의 내게는 이 구절이, 주체가 스스로에게 낯설게 된 어떤 소외의 상황 혹은 모종의 자기분열의 상태를 드러내고 있는 것이 아닌가 하는 추측을 불러일으킨다. 만약 그렇다면, 『모음의 절반은 밤이다』에 실린 시들은 이러한 주체의 내적인 자기분열 혹은 자신이 스스로에게 낯설게 된 어떤 소외의 상태를 풍경화하고 있는 것이 아닌가 하는 짐작을 자연스레 하게 된다. 하기야 분열과 소외는, 현대인의 초상을 가장 극적인 방식으로 선취했던 카프카F. Kafka의 작품들에서 잘 드러나고 있듯이, 현대

자본주의 사회의 보편적 세계상태가 된 지는 이미 꽤나 긴 이력을 지니고 있는 터이긴 하다. 그러니, 주체가 앓고 있는 이 분열과 소외의 상태를 우리는 한 개인의 내면적 체험으로만 한정해서는 안 된다. 표면적으로는 지극히 개인적 내면 체험들로 보일 수도 있는 김익경의 시들은 사실상 정치경제적 맥락과 사회문화적 징후에 대한 예리한 성찰과 치열한 탐색의 결과이기도 하다. 평자로서의 나는 그 점을 강조하는 것이 중요하다고 생각한다. 왜냐하면 이 맥락과 징후를 염두에 두지 않는다면, 시인의 시세계는 요령부득의 말장난에 지나지 않는 것으로 치부될 수 있을 것이기 때문이다.

2.

『모음의 절반은 밤이다』에서 시적 언어들은 지극히 개별화, 탈-코드화 되어 있어 하나의 고정된 의미론적 맥락의 형성을 어렵게 한다. 달리 말하면, 김익경의 시어들은 사전에 등재된(코드화된) 말이 지니는 의미의 자장으로부터 완벽하게 일탈해(혹은 탈주하고) 있다고 할 수 있다. 언어는 기본적으로 개별성(파롤)과 보편성(랑그)의 결합으로부터 그 의미를 보장받는다. 그러므로 코드화 되지 않은 개별 언어들은 의미의 자장을 형성하지 못한다. 꿈의 언어나 정신병의 언어가 바로 그러한 예들에 속할 것이다. 그것들 역시 발화된 말임에는 분명하지만, 우리가 해독할 수 있는 거의 아무런 단서도 남기지 않는다. 왜냐하면 그 말들은 언어가 하나의 보편적 법칙이라는 사실로부터 벗어나 탈-코드화 되어 있기 때문이다. 그렇다면 『모음의 절반은 밤이다』를 쓴 시인이 의도하고 있는 것은 '탈-의미'인가라고 물을 수도 있겠다. 어쩌면 그럴지도 모르지만, 그것은 너무 나간 얘기인 것 같다. 역설적이긴 하지만, 일단 발화된 어떤 말도 그럴 수는 없다. 비록 우리의 의식에 도달해 해독 가능한 것이 되지 않는다 할지라도, 꿈이나 정신병의 언어 역시도 이미 어떤 의미 구조의 자장 속에서 움직이고 있다는 사실을 우리는 이미 알고 있다. 그렇기에 『모음의 절반은 밤이다』의 시인이 목표로 하는 보다 결정적인 사안은, 통사론과 의미론의 일치로부터 벗어난, 탈주하는 말의 '자유'인 것처럼 보인다. 그런 의미에서 김익경의 시적 작업은 현대시의 출발점이었던 프랑스 상징주의 시학의 영향에서 그리 멀리 떨어져 있지 않다. 시인의 이러한 시적 전략을 나로서는 말의 '탈-코드화' 작업이라고 부르고 싶다. 이 작업은 보편적인, 외연을 갖는 기호로서의 언어를 개별화, 사사화 함으로써 시의 화폭을, 마치 초현실적인 꿈의 세계와도 같이, 해독 불가능한 상징의 장으로 만든다. 김익경의 시적 작업이 잃고 있는 것은 말의 고정된 의미이지만, 해독 가능한 기호로서의 기능을 상실한 언어가 그 대가로 얻는 것은 탈-코드화된 말의 자유이다. 내게는 『모음의 절반은 밤이다』가 통사론과 의미론

의 합치로부터 벗어난 이 같은 '말의 난장'을 목표로 하고 있
는 것처럼 보인다.

　달리 말할 수도 있다. 김익경의 시적 작업은, 비유적으로
말하자면, 시인 자신이 에서M. C. Escher의 그림이라고 주석을
붙여 놓은 한 시의 표현처럼, "그리는 손을 그리고 있"(「오래된
부음」)는 '손'을 목표로 하고 있는지도 모르겠다. 그의 시세계
는 단순히 그려진 풍경의 문제나 그것을 그리는 손의 문제가
아니라, 풍경을 그리는 '손을 그리는 손'의 문제를 천착하고
있는 것이 아닌가 한다는 뜻이다. 풍경은, 물론 대상화된 세
계와 존재의 흔적일 테다. 하지만 그것을 그리는 손은 주체의
감각과 사유의 활동이어야 한다. 그렇다면, '손을 그리는 손'
을 문제 삼는다는 것은 제곱된(배가된) 감각과 사유, 다시 말
하자면 감각의 자기반영 혹은 사유의 자기반성이어야 할 것
이다. 결국『모음의 절반은 밤이다』라는 '문제적' 시집이 탐색
하고자 하는 것은 정신의 자기 반영성, 즉 언어학적으로 말하
자면 언어의 자기-관련성 혹은 자기-지시성의 문제일 수밖에
없어 보인다. 가령, "모든 크레타 인은 거짓말쟁이"라고 말하
는 크레타인의 역설이 이 같은 '자기-지시적' 언어 사용의 전
형적인 예에 속할 것이다. 언어라는 기표로서의 기호가 지시
하는 기의는 기표 바깥에 따로 존재해 있어야 그것의 의미를
보장받는다. 그러므로 자기-지시적 언어는 언제나 무의미의
공허로 떨어질 위험을 감수해야 한다. 거울을 비추는 거울을

떠올려 보면 이 사태를 정확히 이해한 것이 된다. 김익경의 시세계가 드러내는 사태가 바로 이 같은 언어적 상황이라고 나는 생각한다. 「일주일째 집을 나서지 않은 사람들을 위한 집 밖의 사람들이 있다고 하자」 같은 시 제목의 문장 역시 경우는 다르지만, 유사한 상황을 보여준다고 할 수 있다. '집을 나서지 않은 사람들을 위한 집 밖의 사람들'이 어떤 의미를 갖겠는가?

그렇기에 시인은 "보이는 것과 보이지 않는 것 사이"(「세잔의 단백질」)라고 말했을 것이다. 내게는 김익경의 시들이 이 '보이는 것'과 '보이지 않는 것' 사이의 긴장 지대에서 그것들을 왕복하고 있는 것처럼 보인다. 아마도 '탈-코드화 된' 탈주의 길은 바로 이 왕복 운동을 말하는 것이어야 하겠다. 그렇다면 이러한 탈주의 시적 전략이 의도하고 또 목표로 하는 점은 무엇인가 물어야 한다. 어쩌면 시인에게는 지금 펼쳐져 있는 세계나 존재, 혹은 언어 자체가 이러한 '사이'의 차이를 지우고 있거나 감추고 있는 것으로 보일지도 모르겠다. 이미 시인은 "귀 기울이면 더 깊은 수렁의 말이 된다"(「적의 화장법」)고 말했다. 또한 그는 "보이는 것과 보이지 않는 것 사이의/ 과일들이/ 어긋난 수평선 위에 놓여 있다"(「세잔의 단백질」)고도 말한다. 귀 기울일수록 '수렁의 말'이 되고, 존재와 사물의 지반이 되어야 할 세계의 '수평선'이 이미 어긋나 있다면, 그때 '존재의 진리'를 드러내고자 하는 시의 언어가 감당할 수 있는 일이란 어떤 것일까? 시인에게는 우리가 서 있는 세계 자체가 이미 뒤죽박죽이 된 세계("어긋난 수평선")로 간주된다. 그렇기에 그는 이 뒤죽박죽인 세계 자체를 어쩌면 다시 원래의 상태로 되돌려 놓고 싶었을지도 모른다. 그렇다면 방법은 단 하나, 뒤죽박죽인 세계를 다시 뒤죽박죽으로 만들어야만 할 것이다. 이제, 우리는 이렇게 말해야 한다. 김익경의 시적 작업과 전략이 목표로 하는 것은 기존의 정형화된 시적 틀(언어의 구조)을 파괴하여 새로운 방식으로 언어를 직조하는 일이라고 말이다. 이 '시적 틀'의 새로운 직조는 새로운 언어의 발견이나 창안을 통한 세계와 존재의 갱신을 목표로 할 것이다. 이 새로운 세계의 창조를 위해서, 가령 러시아 형식주의자들은 소위 '낯설게 하기' 같은 방법을 창안했다는 문학사적 사실을 우리는 기억하고 있다. 시인의 '탈-코드화'의 전략 역시 시가 단순히 의미의 전달만이 아니라 또한 그 의미 전달의 방식을 문제 삼음으로써 세계와 존재를 새롭게 해석할 뿐만 아니라 갱신을 도모해야 한다는 점에 동의하고 있는 것처럼 보인다. 이러한 도발과 전복의 작업은 세계와 존재의 근원적인 갱신을 열망하고 또 촉구하는 언어적 모험의 기록으로 자리하게 될 것이다.

3.

검은 대륙에 흰 독수리의 문자가 떠돌고 있다 정글 속 사각
거리는 문자의 입자들 무방비의 저녁에서 돌아오는 아침이면
바람의 소리를 닮은 낱말들이 상처 난 머리카락을 내놓고 있다

우리의 손은 간밤의 소리보다, 문자보다 늦었다

늪지를 빠져나온 자판은 눈보다 지문을 먼저 익혀야 한다
자음과 모음의 법칙은 정글에서 통하지 않는다 소리만이 강
자가 된다 자판이 만드는 존재의 문자는 낯선 상처를 안기는
이별이 많았다

—「넘버 2」 전문

"아침이면 바람의 소리를 닮은 낱말들이 상처 난 머리카락
을 내놓"는 세계, "자음과 모음의 법칙은" 통하지 않는, "소리
만이 강자가" 되는 '정글'의 세계, 일찍이 그러한 세계를 상정
하여 '언어의 인공낙원'을 꿈꾼 이들이 있었던 것으로 알고 있
다. 우리는 이 자연 속에, 세계 속에, 우주 속에 인과율이 존재
한다고 믿는다. 말의 질서도 바로 그러한 인과율에 대한 믿음
위에 구축되어 있다. 그러나 만약 이 인과율이 객관적 사실이
아니라 다만 인간 관념의 주관적 소산에 불과하다면? 만약 인
식이라는 것이 자연의 객관적 사실이 아니라 한낱 인간 정신
(칸트의 용어로는 '오성'을 말한다)의 주관적 구성에 불과하다면?

그때 자연은, 또한 세계는 당연히 '알 수 없는 그 무엇'으로만 남게 될 것이다. 시인의 인식론적 회의주의 안에서 세계는 그냥 우연(인과율의 필연성에서 벗어나 있으므로)에 맡겨진 사건들의 집합에 지나지 않는다. 그 세계에서 희생당하는 것은 '진리' 개념이지만, 그 희생의 대가로 승리의 나팔을 울리게 되는 것은 '말의 유희'라는 '쾌'의 개념이다. 이 세계에서 말은 그 어떤 무엇에도 속박됨이 없이 오로지 기표들의 유희를 즐길 것이다. 그 말의 세계는 '영원한 진리'를 포기했지만, 대신 '무한한 우연'을 긍정할 수 있게 된 세계이다. 시인은 "일요일을 세다보면/ 최초의 일요일들이 자꾸만 찾아온다"(「일요일도 아닌데」)고 노래한다. 그렇기에 모든 일요일은 언제나 최초의 일요일이다. 끝없는 우연과 생성의 반복만이 존재할 뿐, "세상의 기운은 운7 복3 기1이다"(「홀라할 줄 아세요」). 오로지 우연만이 지배하는 그 세계는 언제나 최초의 세계이고, "나는 안이 없는 사람"(「일주일째 집을 나서지 않은 사람들을 위한 집 밖의 사람들이 있다고 하자」)일 뿐이다. 그렇기에 나는 또 완전히 새롭게 태어날 것이다. 언제나 새롭게 태어나는 모든 말은 '아담의 언어'(「10초의 거리」)이고, 모든 여자는 "아담의 첫 여자, 이브 이전의 여자"(「릴리트」)일 것이다. 그곳은 모든 것이 새롭게 태어날 수 있는 창세기 이전의 세계, "채워지면 채워질수록/ 중심으로부터 멀어지는"(「홀라할 줄 아세요」) '탈주'의 세계일 터이다.

단단해지고 싶다

가장 아름답게 벗기고 싶다

　얇은 피부가 늘어나도록 며칠을 굶는다 목에 호스를 꽂아
열기구처럼 부풀 때까지 술을 먹는다 벌려진 입 속으로 칼을
넣어 척추를 해체한다 머리에 못을 박는다 박힌 머리를 삭둑,
자른다 오렌지색 피가 봇물처럼 뿌려진다 나는 온전히 벗겨
진다 200년 전처럼

　대사율이 느리고 혈압이 낮아진다 산소와의 내통을 끊는다
신경의 손상이 느린 것은 즐거운 고통 머리는 머리대로 몸은
몸대로 날카롭다 늦고 날카로운 만큼 은혜로운 무두질이다

벗겨진 채 며칠을 살아 있었고

부위별로 관능적 빛깔이 입혀진다

인식되는 거리마다

비를 피하는 아담의 언어들이 바쁘다

　　　　　　　　　　　　　　　　　—「10초의 거리」 전문

시인은 "일어난 사건과 일어났다고 판단하는 사건의 모든

진실은 현명하지 않다"(「무협」)고 믿는다. 그러니, 모든 사물과 상황과 사건들의 진실은 오리무중일 뿐이다. 심지어 '나'라는 주체도, 그 주체의 정신조차도 말이다. '일어난 사건'이라는 객관도, '일어났다고 판단하는' 주관도 모두 진실이 아니다. "모든 진실은 현명하지 않다". 그렇다면 무엇이 사실('일어난 사건')이고 무엇이 진실('일어났다고 판단하는 사건')인가? 사실상 모든 인식은 인과율의 법칙에 대한 믿음 위에서야 가능하다. 인과율의 필연성을 상정하지 않는다면, 어떤 (논리적) 인식도 가능하지 않은 법이다. 하지만 『모음의 절반은 밤이다』의 시세계에서 어떤 사건들은 인과율로부터 벗어나 있는 듯이 보인다. 가령, "소말리아 해변 식당에서는 20명 이상이 초고속 어뢰에 당했고 할리우드 배우는 팬과 사랑에 빠졌다"(「무협」)는 구절을 보기로 하자. 앞의 사건과 뒤의 사건에서 우리는 어떤 인과적 고리도 발견할 수 없고, 그렇기 때문에 이 문장의 의미는 수수께끼가 된다. 그것은 그냥 어떤 사태나 사건들의 병렬적 기술에 그치고 있다. 이때 독자의 머릿속에 떠오르는 의문은 '그래서 어쨌다는 거야?' 같은 것이다. 하나의 사건이나 사태는 다른 사건이나 사태와 아무런 관련성도 없이 그냥 나란히 놓여 있거나 포개져 있을 뿐이다. 이러한 사태가 김익경의 시세계에서는 빈번하게 목격된다. 그러니, 결국 이렇게 말해야 한다. 그 세계에서는 인과율의 필연성이 배제되어 있고, 또 이러한 필연성의 배제가 바로 시인의 시세계를 난해하게 만든다고 말이다. 거기에서 논리적 인식과 이해는 가능하지 않다. 이제 남는 것은 기의에 도달하지 않은(또는 못한) 고삐 풀린 말들의 행로이다. 기의의 고삐에서 풀러난 기표들의 세계는, 말 그대로의 의미로, 순전한 말의 난장을 형성할 것이다. 이제 시는 기표들의 무한한 유희 공간으로 화한다. 말들은 자신 이외의 그 어떤 것에도 속박되지 않고, 오로지 자신들만의 축제를 벌인다. 그곳에는 말들의 폭력적인 위계도 질서도 존재하지 않는다. 오로지, 다른 그 무엇도 아닌, 오로지 말을 위한 말만이 존재할 뿐이다. 그것이 바로 시라고 시인은 믿는다.

4.

막다른 커브 길에서 우리는 삶의 기울기를 만나 기울기의 실체를 여실히 드러낼 수밖에 없어 그곳에 가보면 알아 기울어져 가는 아침이 기울고 무릎은 바닥을 향해 있어 기울기는 가속도잖아 당신의 기울기는 안전하니
—「가속도」부분

『모음의 절반은 밤이다』의 시세계에서 시적 자아는, 시인의 현실이 아마도 그렇겠지만, 대개 중년쯤의 사내로 보인다. 그는 "몰래한 사랑"과 "스팸에 중독"되어 "오늘은 나를 해제"

하거나(「수신거부」). "그들끼리 접붙기를 좋아"하는 '홀라'를 하거나(「홀라할 줄 아세요」), "원 나이트를 꿈꾸는 불빛" 아래서 새벽까지 나이트클럽에 앉아 있거나(「접미사」) 하면서 일상을 건디는, 그래서 또한 술을 즐겨 마시는 사내이다. 하지만 일상의 풍경 속에서 드러나는 그의 현실은 슬픔과 아픔으로 '기울어져' 가고 있다. "틈 속에서 자꾸만 납작해지는"(「크리넥스」) 그 삶은, 가끔은 "정오를 증오로 읽"거나 희망곡希望曲을 '희망곡希望哭'으로, "방광을 발광으로 읽는"(「정오의 희망곡」) 그 사내의 삶은 간신히 지탱되고 있는 것 같다. 사내는 "한 발짝도 나설 수 없어 너에게 갇혀 있"(「신발」)는 삶을 살고 있다. "입술 없는 입 혀 없는 소리"(「화살나무」)로 상징되는 이 사내의 삶은 노동의 고단함과 일상의 지리멸렬함에 찌든, "그가 지배하는 침대는 관과 같"은 "우리 동네 목욕탕 이주노동자 벤허 김 씨"(「벤허 김 씨」)의 삶과 그리 달라 보이지 않는다. 그는 다음과 같이 말한다. "어제 살았으므로 오늘도 살 것이라는 우연은 지루하다"(「굿모닝」).

    약혼을 하다말고 문상을 갑니다 서약은 완성되지 못하는 목적지에 정박 중입니다

    선물은 의미가 닿기 전 말을 잃습니다 나는 땅 끝에서 목청껏 허리를 구부릴 뿐입니다

—「지갑의 길이」 부분

　　오늘도 무사히는 간절하지 않다 어제 살았으므로 오늘도 살 것이라는 우연은 지루하다 남자를 사랑할 때는 목을 조심해야 한다 뜻하지 않은 일들은 소리의 가면을 쓰고 있다 거북이와 토끼의 우화는 두 개의 세계가 하나로 연결되고 물 밖과 속이 구분되지 않는다

—「굿모닝」 부분

　　나는 16개월 동안 무심한 알을 낳았다 총애 받는 생식기를 가진 동료들은 몸속의 피를 토해낸 새 자궁으로 다시 절반의 새를 낳았다

　　…(중략)…

　　폴 베리 박사는 스트레스 없이 분당 150마리의 닭을 살처분했고 이들은 발굴되지 않았다 양계장에는 사은품으로 털 뽑아주는 기계가 제공됐다

—「곳간」 부분

　　"의미가 닿기 전 말을 잃"는 세계를 살고 있는 시인은 같은 시에서 "창세기, 개들이 짖고 있습니다"(「지갑의 길이」)라고 노

래한다. '개 짖는 소리'로 새롭게 시작된 이 세계는, 효율성만을 제1의 원리로 삼는, 다시 말해 '경제성의 원리'만이 작동하는 자본주의적 현실이다. 그 현실은 모든 가치들이 뒤섞이고 전도된 세계이다. "물 밖과 속이 구분되지 않는"(「굿모닝」) 세계, "16개월 동안 무심한 알을 낳았"던 닭을 "분당 150마리"씩 "살처분"(「곳간」) 하는 세상(시인이 붙여 놓은 주석에 의하면, 이 시에 등장하는 '폴 베리 박사'라는 인물은 "사람 대신 닭을 잡아주는 기계를 개발한 영국인"이라고 한다)에 대해 시인은 이제 무심을 가장하여 "참 지긋지긋해요"(「자독自瀆」)라고 고백한다. 그렇기 때문에 동시에, 사내는 뒤죽박죽된 이 현실의 세계를 창세기 이전의 상태로 되돌릴 꿈을 꿀 수밖에 없었다. 또한 시인으로서의 사내는 현재의 질서(특히, 언어에 의존할 수밖에 없는 그에게는 바로 '언어적 질서'를 말한다)를 다시 뒤섞고 전복시켜야만 했다. '지독한 난독증'(「무거운 식단」)과 '실어증'(「베르테르」)을 앓고 있는, 제 경로를 벗어난 세계의 무의미한 질주를 되돌리기 위해서는 그 질주로부터 벗어나는 길(탈주, 혹은 탈-코드화 된 언어 전략)밖엔 달리 선택의 여지가 없을 것이기 때문이다. 안쓰럽게 보일 정도로 저 길 없는 광야의 폭풍 속으로 탈주하고 있는 사내와 더불어, "누군가 말을 걸어온다면/ 아주 조금씩/ 지난 시간을 배회하는 그대가/ 내 안에 있다"(「적의 화장법」)고 말할 수 있는 그런 세계는, 그런 갱신된 존재의 시간은 어떻게 가능할까 생각한다. 다행히도 나는 시집에서 한 편의 동화와도 같은, 너무나 아름다운 절창의 시를 발견할 수 있었다. 거기서 세계는, 존재는, 언어는 다시 새로운 꿈을 꿔야 하리라. 왜냐하면 "실어증은 말 이전의 말을 배우게"(「베르테르」) 하므로. 모든 새로운 생성을 가능케 하는 저 '물'의 '꿈'과도 같이.

달이 눈썹의 길이로 내려앉는 날, 그 날마다 별의 문이 열린다 별사람들 숙면에 취해 있다 별에서의 일은 새털 같은 이슬을 세는 일뿐이다 무료한 별나라 이주민들은 물을 키우기로 했다 물은 자라면서 가벼워지는 속성을 익혔다 산란기에는 우수가 되어 롤러코스터처럼 지상에 내려앉거나 앞발의 미각으로 야음의 속곳을 뒤지기도 했다 물은 낮에만 자랐다 밤에는 너무 많은 지상의 눈이 부담스러워, 구름 속에서 사랑을 나누고 괄약근을 키우기도 했다

물의 심장이 뛰기 시작했다 별나라 사람들은 종이컵에 심장을 담아두었고 손저울로 무게를 단다 심장의 적정 무게는 두 근 반, 세 근을 넘기는 심장은 별나라 수문장의 간식으로 제공된다 평정심을 잃어버린 물은 미완의 반숙이거나 바르지 않는 바퀴가 될 것이라 믿었다 별스러운 생각은 그들만의 법칙이었다 **모든 생성은 물로부터 시작되었고 물은 꿈을 꾸기 시작했다**(강조 - 필자)

더 이상 하늘을 처다볼 수 없다

―「별나라 잠행」 전문

부기:

  해설을 쓰는 자리에서는 여지를 얻지 못한, 시집의 바깥에 있는 것을 따로 적기로 한다.

  내가 시인을 처음 지면으로 접한 것은 그가 동인으로 참가하고 있는 〈수요시포럼〉의 제10집 『푸른 행성의 질주』(사문난적, 2013)에 실린 6편의 시를 통해서였다. 그 작품들 가운데서 유달리 기억나는 것은, 이번 시집에는 누락되어 있는, 「안경 밖 세상」이란 제목을 달고 있는 시의 "안경 밖 세상은 바른 것이 없다/ 바르지 않는 것이 바른 것이다"라는 구절이었다. 나는 '안경'을 '언어'로 바꾸어 읽었다. 시인에게 있어서 언어는 마치 안경과도 같아서, 이미 그 자체로 존재와 세계를 굴절시켜(다시 말해, 왜곡하여) 보여주는 것으로 이해되었다. 그렇기에 세계를 바로 보기 위해서는, "바르지 않는 것이 바른 것"이라는 사실을 직시하기 위해서는 이 언어를 해체하거나 넘어서지 않으면 안 되었을 것이다. 그렇기에 시인에게 있어서 '정상'이라고 불리는 것보다 더 '비정상'은 없었을 터였다. 이 듬해에 나온 〈수요시포럼〉 제11집 『캥거루의 밤』(사문난적,

2014)에 실린 「당신은 너무 가볍군요」라는 제목의 '시작 노트'에서 시인은 다음과 같이 썼던 것이다. "나의 눈은 정상이다. 섣불리 찾아온 노안老眼으로 인해 가까이 있는 사물들이 희미하게 보이지만 사팔뜨기나 장님이 아니니 정상이다. 그러나 나의 눈은 비정상이다. 정상이어서 비정상인 것, 비정상이 되고 싶다. 비정상이 되지 못해 안달이고 안달이어야 한다. 사팔뜨기나 장님이 되고 싶다. 그래서 더 간절해지고 싶다". 아마도 그럴 것이다. 독자로서의 내가 김익경의 시가 '어렵다'고 느끼는 것은 내가 '정상'의 눈으로 그의 시를 들여다보려 하기 때문이고, 또 이 '정상'이라고 믿고 있는 내 눈이 이미 그 자체로 비정상임을 이해하지 못하고 있기 때문일 것이다. 시인의 시는 안경 밖으로, 언어의 바깥으로, 마비된 일상의 감각을 넘어서 가고자 한다. 그렇기에 김익경의 시는, 언어는, 감각은 '바람'처럼 늘 '정상'의 바깥으로 떠돈다. 〈수요시포럼〉 제12집 『도마 위의 수평선』(사문난적, 2015)에 실린 다른 한 산문 「내 마음의 시 한 편」에서 그는 다음과 같이 썼다. "나는 늘 못 견딘다. 못 견디게 설렌다. 쉴 새 없이 설렌다. 늘 바람이 분다. 바람만이 나를 안다. 그런데 나는 바람을 모른다". 그리고 내가 김익경의 '시론'이라고 할 만한 글을 발견한 것은 〈수요시포럼〉 제13집 『벽장 속 해변』(사문난적, 2016)에 실린 「말이 되었으면 좋겠다」라는 산문을 통해서였다. 다소 긴 글이지만, 시인의 시적 작업과 언어적 관점이 가장 분명하게 드러나 있

는 것으로 보이기에, 부분적으로 옮긴다.

　　말이 시가 되었으면 좋겠다 시가 말이 되었으면 좋겠다 말
과 시가 하나였으면 좋겠다 말할 줄 아는 사람은 모두 시인이
되고 시인은 말하는 사람이면 좋겠다

　　…(중략)…

　　말은 무엇인가 되고자 한다 말이 말 되고자 하는 것은 말이
안 된다 세상을 지탱하는 것은 말 되지 않는 말들이다

　　…(중략)…

　　나의 말은 시도 씨도 되지 않는다
　　나의 시는 말을 따라갈 수 없다
　　말 되지 않는 말을 만들어내지도 못한다

　시인과 더불어 나 역시, 말이 시가 되고 시가 말이 되는, 그
런 세상을 희망하고 있다.▨

| 김익경 |

울산 출생.
2011년 『동리목월』 등단.
〈수요시포럼〉, 〈시#〉 동인.

이메일 : kigk88@hanmail.net

모음의 절반은 밤이다 ⓒ 김익경 2019

───────────────────────

초판 인쇄 · 2019년 11월 11일
초판 발행 · 2019년 11월 15일

지은이 · 김익경
펴낸이 · 이선희
펴낸곳 · 한국문연

서울 서대문구 증가로 31길 39, 202호
출판등록 1988년 3월 3일 제3-188호
대표전화 302-2717 | 팩스 · 6442-6053
디지털 현대시 www.koreapoem.co.kr
이메일 koreapoem@hanmail.net

ISBN 978-89-6104-248-2 03810

값 10,000원

* 잘못된 책은 바꾸어 드립니다.

🔺 울산광역시 울산문화재단
ULSAN ARTS AND CULTURE FOUNDATION

본 도서는 울산문화재단 2019년 발간 지원사업의 일환으로
발간되었습니다.

이 도서의 국립중앙도서관 출판시도서목록(CIP)은 서지정보유통지원시스템 홈페이지(http://seoji.nl.go.kr)
와 국가자료공동목록시스템(http://www.nl.go.kr/kolisnet)에서 이용하실 수 있습니다.
(CIP제어번호: CIP2019045479)